Les citrouilles ensorcelées

Michelle H. Nagler

Illustrations de Duendes del Sur

Texte français de Marie-Carole Daigle

Je peux lire! — Niveau 1

ISBN 0-7791-1631-3
Titre original : Scooby-Doo! The Haunted Pumpkins

Édition publiée par Les éditions Scholastic,
175 Hillmount Road, Markham (Ontario) L6C 1Z7

5 4 3 2 1 Imprimé au Canada 02 03 04

Les éditions Scholastic

 et ses amis préparent

une  hantée pour l'Halloween.

Ils suspendent des 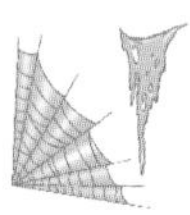 aux .

Ils découpent des  pour créer

des visages monstrueux.

 a peur des .

 fait jouer une  de musique

d'horreur. La  fait des sons

effrayants comme ou-ou-ouh!

gna-ha-ha! et bou-ou-ou!

Les gens font la file pour visiter

la hantée.

et recueillent les et

les déposent dans une .

La petite Annie a très peur.

Elle n'aime pas le ni les .

la rassure : « C'est juste pour

s'amuser. »

— Je ne suis pas un vrai , dit .

« non plus n'aime pas

les », pense Annie.

Le lendemain, la  n'est plus

pareille. La  a été renversée

sur la  . Des  couvrent le  .

— Dites donc, cette  est peut-être

vraiment hantée, lance  .

— Regardez! dit  . Les

ont changé!

En effet, les  ne font plus peur.

les aime mieux comme ça.

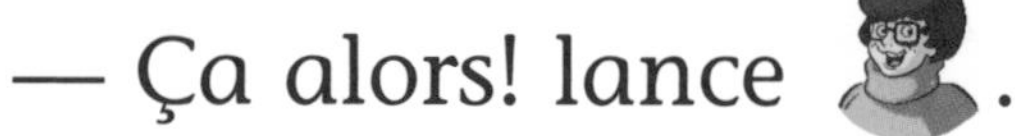

— Ça alors! lance .

Des ensorcelées!

— Cherchons des indices, dit .

 et moi, nous chercherons

dehors. , cherchez à l'intérieur.

— R'amais! dit .

— Cette est hantée! dit .

— Le ferais-tu en échange

de deux ? demande .

— R'accord! dit .

SCOOBY
SNAX

et entendent un bruit.

Ce n'est qu'un qui touche aux 

— Regarde! s'écrie . Un !

Encore une fois, ce n'est qu'une ombre

bizarre qui se dessine sur la .

dit : « Bon, allons voir à la

cuisine, . »

se sert de son pour trouver

les menant à la cuisine.

et ne trouvent aucun indice

dans la cuisine.

Mais ils trouvent une à la

sur la .

Pendant qu'ils mangent la ,

ils entendent des bruits effrayants.

— Aïe! fait . Le !

remonte les en courant

et sort par la .

BOU-OU-OU-OUH!

 et  fouillent dans les 

pour trouver des indices.

— On a entendu le  ! crie  .

— R'ouais! poursuit  en sortant

à toute allure par la  .

 glisse sur les  au 

et dégringole les  .

— Ça va,  ? demande  .

— Regardez, dit ,  a trouvé

des  !

 est tombé dans un tas de ,

juste à côté des 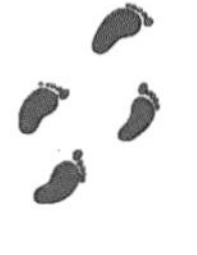.

— Il y a aussi une piste de  ! dit .

— Suivons-les, dit .

— Bonne idée, dit . Éloignons-nous

du  et de la .

— Il n'y a pas de , , dit .

Je ne faisais que vérifier ma

de musique d'horreur.

Les amis suivent les et les .

La piste fait le tour de la .

Elle contourne ensuite un .

Les et les s'arrêtent devant

deux puantes.

— Yeurk! fait .

se bouche le .

 regarde dans les  et y trouve

les horribles  .

— Qu’est-ce que les horribles 

font ici? demande  .

— J’ai ma petite idée, dit  .

, peux-tu continuer à suivre la piste?

 se colle le  au sol.

La piste mène à la  d’Annie.

— Vous voyez, ce n’était pas un  !

s’exclame  .

Annie leur dit alors : « avait peur

des , alors je les ai remplacées. »

— Et tu as fait tomber la de

par accident! poursuit .

— Désolée, dit Annie. Je voulais

simplement vous faire des

amusantes.

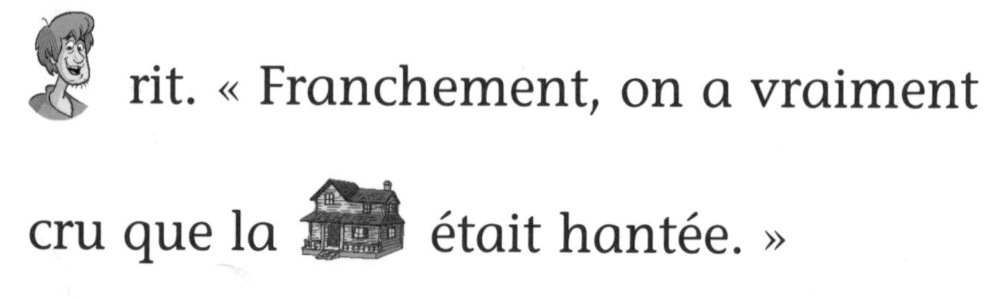

rit. « Franchement, on a vraiment

cru que la était hantée. »

aboie. « Scooby-Dooby Doo! »

As-tu bien regardé toutes les images
du rébus de cette énigme de Scooby-Doo?

Chaque image figure sur une carte-éclair.
Demande à un plus grand de découper
les cartes-éclair pour toi. Essaie ensuite
de lire les mots inscrits au verso des
cartes. Les images te serviront d'indices.

Avec Scooby-Doo, la lecture,
c'est amusant!

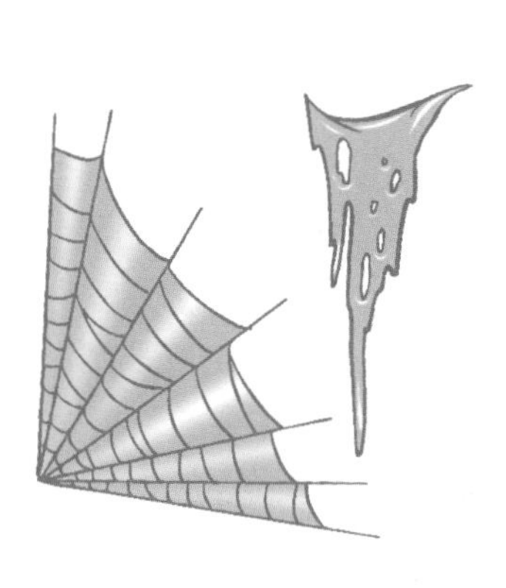

Scooby

maison

toiles d'araignée

fenêtres

citrouilles

cassette

billet 1
billet 2

fantôme

Daphné

Fred

Véra

Sammy

billets

BILLETS

SCOOBY
SNAX

porte

boîte

Scooby Snax

table

arbre

sol

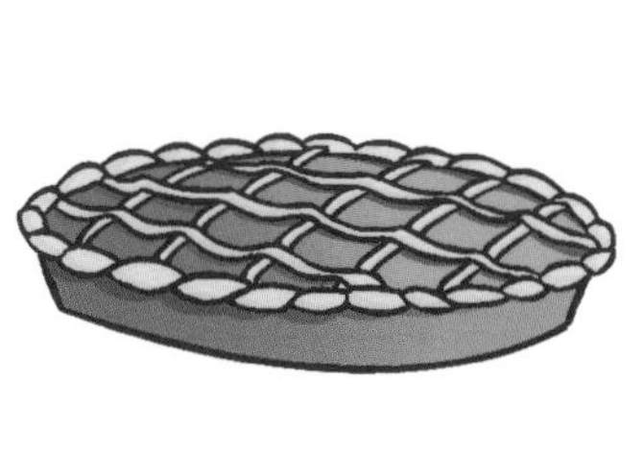
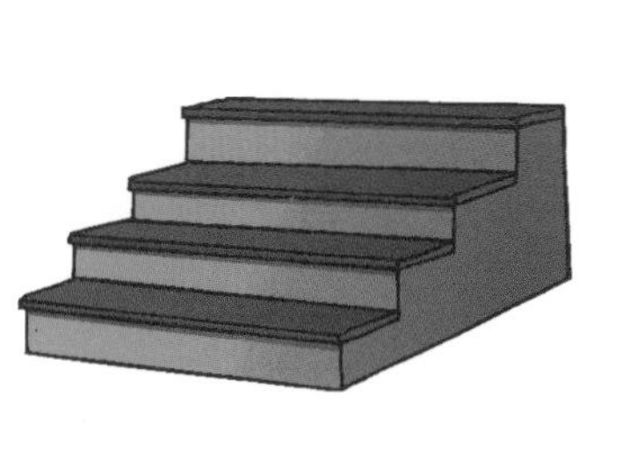

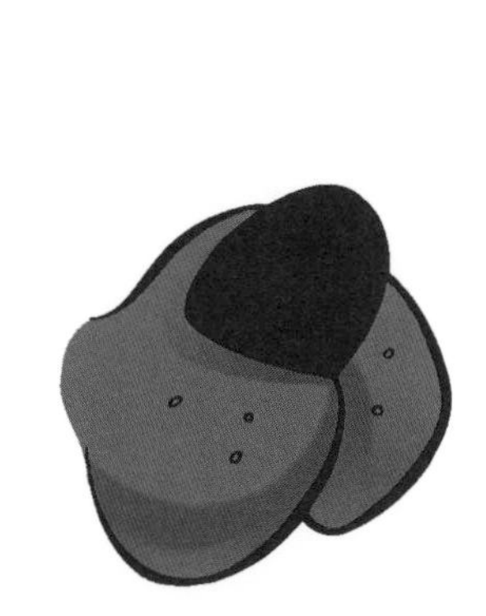

marches

tarte

feuilles

empreintes

poubelles

museau